这是我的书
It's MY BOOK
6级：300字

石油和天然气

作者：秦志宁（Zhining Chin）
配图：秦志宁（Zhining Chin）

北京语言大学出版社
BEIJING LANGUAGE AND CULTURE UNIVERSITY PRESS
PHOENIX TREE
PHOENIX TREE PUBLISHING INC.

识 读 空气 加工 海底

句 型 可以……

字 数 297字

qiān bǎi wàn nián qián dà hǎi li de hěn duō
千百万年前，大海里的很多
dòng wù zhí wù màn màn de biàn lǎo sǐ qu zhī
动物、植物慢慢地变老、死去之
hòu jiù chén dào le hǎi dǐ
后，就沉到了海底。

hǎi shuǐ bù tíng de liú dòng hǎi dǐ de ní
海水不停地流动，海底的泥
shā yā zài zhè xiē dòng wù hé zhí wù shēn shang bǎ
沙压在这些动物和植物身上，把
tā men yā de yuè lái yuè shēn
它们压得越来越深。

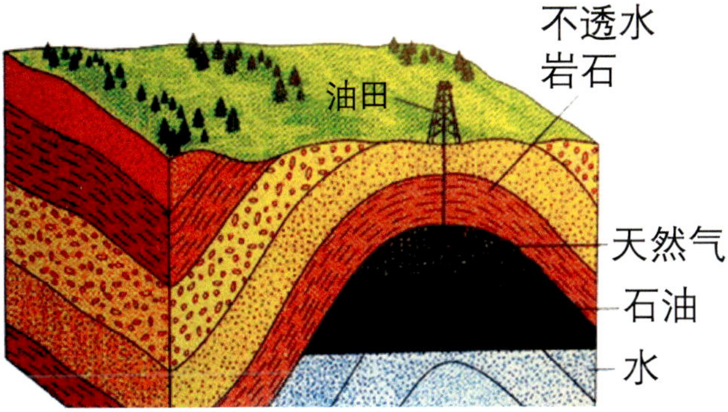

hǎi dǐ ní shā
海底泥沙
xià zhè xiē sǐ qu
下这些死去
de dòng wù jiàn bu
的动物见不
dào yáng guāng hé kōng
到阳光和空
qì yòu jīng guò jǐ bǎi wàn nián de biàn huà tā men
气，又经过几百万年的变化，它们
biàn chéng le yóu zhuàng de dōng xi wǒ men jiào tā men
变成了油状的东西，我们叫它们
shí yóu tā men yě huì biàn chéng qì tǐ wǒ men
“石油”。它们也会变成气体，我们
jiào tā men tiān rán qì
叫它们“天然气”。

shí yóu hé tiān rán qì mái de hěn shēn
石油和天然气埋得很深，
méi yǒu rén zhī dào tā men de cún zài yòu jīng
没有人知道它们的存在。又经
guò le jǐ qiān wàn nián rén men cái zài dì xià
过了几千万年，人们才在地下
hé hǎi dǐ zhǎo dào le tā men
和海底找到了它们。

rén men fā xiàn zhè xiē hēi hēi de yóu kě
人们发现这些黑黑的油可
yǐ rán shāo tiān rán qì shì qīng jié de néng
以燃烧；天然气是清洁的能
yuán yě kě yǐ zhí jiē rán shāo
源，也可以直接燃烧。

SUPREME

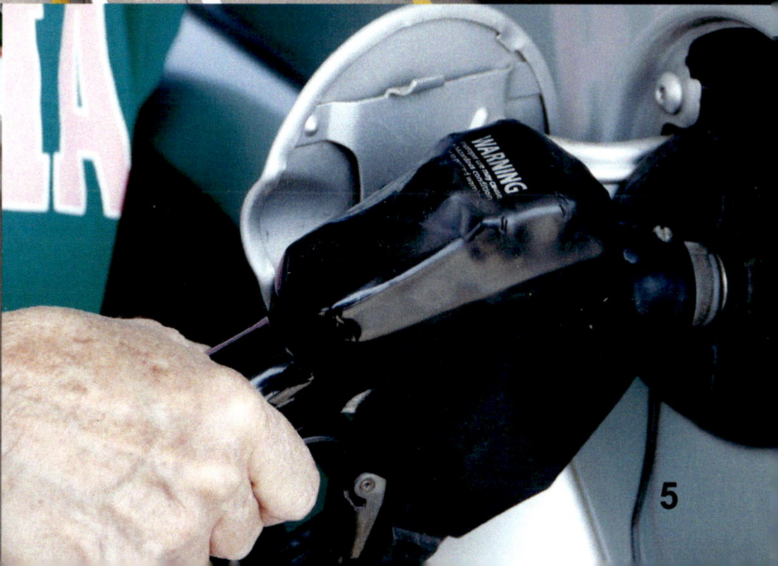
WARNING

shí yóu jiā gōng hòu chéng le qì yóu kě yǐ
石油加工后成了汽油，可以
yòng lái kāi qì chē shí yóu hái kě yǐ zuò chéng yī
用来开汽车；石油还可以做成衣
fu sù liào huà féi děng hěn duō yǒu yòng de dōng
服、塑料、化肥等很多有用的东
xi shí yóu zhēn shì gè bǎo
西。石油真是个宝！

xiàn zài rén men zuò le jǐng jià bǎ guǎn zi chā dào
现在人们做了井架，把管子插到
dì xià yǒu shí yóu hé tiān rán qì de dì fang bǎ shí yóu
地下有石油和天然气的地方，把石油
hé tiān rán qì kāi cǎi chu lai gěi dà jiā yòng wǒ men yào
和天然气开采出来给大家用。我们要
hǎo hǎo de bǎo hù tā men xiǎo xīn de shǐ yòng tā men
好好地保护它们，小心地使用它们。

1 千百万年前，大海里的很多动物、植物慢慢地变老、死去之后，就沉到了海底。

2 海水不停地流动，海底的泥沙压在这些动物和植物身上，把它们压得越来越深。

3 海底泥沙下这些死去的动物见不到阳光和空气，又经过几百万年的变化，它们变成了油状的东西，我们叫它们“石油”。它们也会变成气体，我们叫它们“天然气”。

4 石油和天然气埋得很深，没有人知道它们的存在。又经过了几千万年，人们才在地下和海底找到了它们。

5 人们发现这些黑黑的油可以燃烧；天然气是清洁的能源，也可以直接燃烧。”

6 石油加工后成了汽油，可以用来开汽车；石油还可以做成衣服、塑料、化肥等很多有用的东西。石油真是个宝！

7 现在人们做了井架，把管子插到地下有石油和天然气的地方，把石油和天然气开采出来给大家用。我们要好好地保护它们，小心地使用它们。

1

2

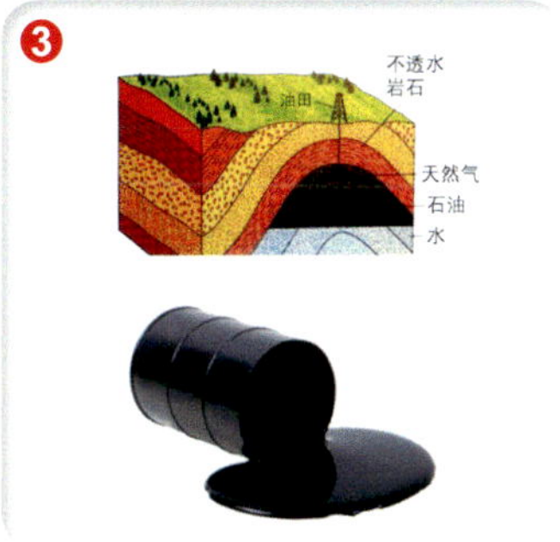
3
不透水
岩石
油田
天然气
石油
水

4

5

6
Eurofertil
Eurofertil

看图讲故事

7